# Amazing Wildlife

DIARY 2022

# PERSONAL DETAILS

Name

Address

Telephone

Mobile

E-mail

In case of emergency contact

Name

Address

Telephone

# KEY CONTACTS

**Work**

Telephone

E-mail

**Leisure**

Cinema

Takeaway

Hairdresser

**Travel**

Rail information

Bus times

Flight information

**Car**

Recovery service

Membership number

Garage

**Credit cards**

Lost/stolen helpline

**Other**

# 2021 CALENDAR

## JANUARY

| M | • | 4 | 11 | 18 | 25 |
|---|---|---|----|----|----|
| T | • | 5 | 12 | 19 | 26 |
| W | • | 6 | 13 | 20 | 27 |
| T | • | 7 | 14 | 21 | 28 |
| F | 1 | 8 | 15 | 22 | 29 |
| S | 2 | 9 | 16 | 23 | 30 |
| S | 3 | 10 | 17 | 24 | 31 |

## FEBRUARY

| M | 1 | 8 | 15 | 22 | • |
|---|---|---|----|----|---|
| T | 2 | 9 | 16 | 23 | • |
| W | 3 | 10 | 17 | 24 | • |
| T | 4 | 11 | 18 | 25 | • |
| F | 5 | 12 | 19 | 26 | • |
| S | 6 | 13 | 20 | 27 | • |
| S | 7 | 14 | 21 | 28 | • |

## MARCH

| M | 1 | 8 | 15 | 22 | 29 |
|---|---|---|----|----|----|
| T | 2 | 9 | 16 | 23 | 30 |
| W | 3 | 10 | 17 | 24 | 31 |
| T | 4 | 11 | 18 | 25 | • |
| F | 5 | 12 | 19 | 26 | • |
| S | 6 | 13 | 20 | 27 | • |
| S | 7 | 14 | 21 | 28 | • |

## APRIL

| M | • | 5 | 12 | 19 | 26 |
|---|---|---|----|----|----|
| T | • | 6 | 13 | 20 | 27 |
| W | • | 7 | 14 | 21 | 28 |
| T | 1 | 8 | 15 | 22 | 29 |
| F | 2 | 9 | 16 | 23 | 30 |
| S | 3 | 10 | 17 | 24 | • |
| S | 4 | 11 | 18 | 25 | • |

## MAY

| M | 31 | 3 | 10 | 17 | 24 |
|---|----|---|----|----|----|
| T | • | 4 | 11 | 18 | 25 |
| W | • | 5 | 12 | 19 | 26 |
| T | • | 6 | 13 | 20 | 27 |
| F | • | 7 | 14 | 21 | 28 |
| S | 1 | 8 | 15 | 22 | 29 |
| S | 2 | 9 | 16 | 23 | 30 |

## JUNE

| M | • | 7 | 14 | 21 | 28 |
|---|---|---|----|----|----|
| T | 1 | 8 | 15 | 22 | 29 |
| W | 2 | 9 | 16 | 23 | 30 |
| T | 3 | 10 | 17 | 24 | • |
| F | 4 | 11 | 18 | 25 | • |
| S | 5 | 12 | 19 | 26 | • |
| S | 6 | 13 | 20 | 27 | • |

## JULY

| M | • | 5 | 12 | 19 | 26 |
|---|---|---|----|----|----|
| T | • | 6 | 13 | 20 | 27 |
| W | • | 7 | 14 | 21 | 28 |
| T | 1 | 8 | 15 | 22 | 29 |
| F | 2 | 9 | 16 | 23 | 30 |
| S | 3 | 10 | 17 | 24 | 31 |
| S | 4 | 11 | 18 | 25 | • |

## AUGUST

| M | 30 | 2 | 9 | 16 | 23 |
|---|----|---|---|----|----|
| T | 31 | 3 | 10 | 17 | 24 |
| W | • | 4 | 11 | 18 | 25 |
| T | • | 5 | 12 | 19 | 26 |
| F | • | 6 | 13 | 20 | 27 |
| S | • | 7 | 14 | 21 | 28 |
| S | 1 | 8 | 15 | 22 | 29 |

## SEPTEMBER

| M | • | 6 | 13 | 20 | 27 |
|---|---|---|----|----|----|
| T | • | 7 | 14 | 21 | 28 |
| W | 1 | 8 | 15 | 22 | 29 |
| T | 2 | 9 | 16 | 23 | 30 |
| F | 3 | 10 | 17 | 24 | • |
| S | 4 | 11 | 18 | 25 | • |
| S | 5 | 12 | 19 | 26 | • |

## OCTOBER

| M | • | 4 | 11 | 18 | 25 |
|---|---|---|----|----|----|
| T | • | 5 | 12 | 19 | 26 |
| W | • | 6 | 13 | 20 | 27 |
| T | • | 7 | 14 | 21 | 28 |
| F | 1 | 8 | 15 | 22 | 29 |
| S | 2 | 9 | 16 | 23 | 30 |
| S | 3 | 10 | 17 | 24 | 31 |

## NOVEMBER

| M | 1 | 8 | 15 | 22 | 29 |
|---|---|---|----|----|----|
| T | 2 | 9 | 16 | 23 | 30 |
| W | 3 | 10 | 17 | 24 | • |
| T | 4 | 11 | 18 | 25 | • |
| F | 5 | 12 | 19 | 26 | • |
| S | 6 | 13 | 20 | 27 | • |
| S | 7 | 14 | 21 | 28 | • |

## DECEMBER

| M | • | 6 | 13 | 20 | 27 |
|---|---|---|----|----|----|
| T | • | 7 | 14 | 21 | 28 |
| W | 1 | 8 | 15 | 22 | 29 |
| T | 2 | 9 | 16 | 23 | 30 |
| F | 3 | 10 | 17 | 24 | 31 |
| S | 4 | 11 | 18 | 25 | • |
| S | 5 | 12 | 19 | 26 | • |

# 2022 CALENDAR

## JANUARY

| M | 31 | 3 | 10 | 17 | 24 |
|---|---|---|---|---|---|
| T | · | 4 | 11 | 18 | 25 |
| W | · | 5 | 12 | 19 | 26 |
| T | · | 6 | 13 | 20 | 27 |
| F | · | 7 | 14 | 21 | 28 |
| S | 1 | 8 | 15 | 22 | 29 |
| S | 2 | 9 | 16 | 23 | 30 |

## FEBRUARY

| M | · | 7 | 14 | 21 | 28 |
|---|---|---|---|---|---|
| T | 1 | 8 | 15 | 22 | · |
| W | 2 | 9 | 16 | 23 | · |
| T | 3 | 10 | 17 | 24 | · |
| F | 4 | 11 | 18 | 25 | · |
| S | 5 | 12 | 19 | 26 | · |
| S | 6 | 13 | 20 | 27 | · |

## MARCH

| M | · | 7 | 14 | 21 | 28 |
|---|---|---|---|---|---|
| T | 1 | 8 | 15 | 22 | 29 |
| W | 2 | 9 | 16 | 23 | 30 |
| T | 3 | 10 | 17 | 24 | 31 |
| F | 4 | 11 | 18 | 25 | · |
| S | 5 | 12 | 19 | 26 | · |
| S | 6 | 13 | 20 | 27 | · |

## APRIL

| M | · | 4 | 11 | 18 | 25 |
|---|---|---|---|---|---|
| T | · | 5 | 12 | 19 | 26 |
| W | · | 6 | 13 | 20 | 27 |
| T | · | 7 | 14 | 21 | 28 |
| F | 1 | 8 | 15 | 22 | 29 |
| S | 2 | 9 | 16 | 23 | 30 |
| S | 3 | 10 | 17 | 24 | · |

## MAY

| M | 30 | 2 | 9 | 16 | 23 |
|---|---|---|---|---|---|
| T | 31 | 3 | 10 | 17 | 24 |
| W | · | 4 | 11 | 18 | 25 |
| T | · | 5 | 12 | 19 | 26 |
| F | · | 6 | 13 | 20 | 27 |
| S | · | 7 | 14 | 21 | 28 |
| S | 1 | 8 | 15 | 22 | 29 |

## JUNE

| M | · | 6 | 13 | 20 | 27 |
|---|---|---|---|---|---|
| T | · | 7 | 14 | 21 | 28 |
| W | 1 | 8 | 15 | 22 | 29 |
| T | 2 | 9 | 16 | 23 | 30 |
| F | 3 | 10 | 17 | 24 | · |
| S | 4 | 11 | 18 | 25 | · |
| S | 5 | 12 | 19 | 26 | · |

## JULY

| M | · | 4 | 11 | 18 | 25 |
|---|---|---|---|---|---|
| T | · | 5 | 12 | 19 | 26 |
| W | · | 6 | 13 | 20 | 27 |
| T | · | 7 | 14 | 21 | 28 |
| F | 1 | 8 | 15 | 22 | 29 |
| S | 2 | 9 | 16 | 23 | 30 |
| S | 3 | 10 | 17 | 24 | 31 |

## AUGUST

| M | 1 | 8 | 15 | 22 | 29 |
|---|---|---|---|---|---|
| T | 2 | 9 | 16 | 23 | 30 |
| W | 3 | 10 | 17 | 24 | 31 |
| T | 4 | 11 | 18 | 25 | · |
| F | 5 | 12 | 19 | 26 | · |
| S | 6 | 13 | 20 | 27 | · |
| S | 7 | 14 | 21 | 28 | · |

## SEPTEMBER

| M | · | 5 | 12 | 19 | 26 |
|---|---|---|---|---|---|
| T | · | 6 | 13 | 20 | 27 |
| W | · | 7 | 14 | 21 | 28 |
| T | 1 | 8 | 15 | 22 | 29 |
| F | 2 | 9 | 16 | 23 | 30 |
| S | 3 | 10 | 17 | 24 | · |
| S | 4 | 11 | 18 | 25 | · |

## OCTOBER

| M | 31 | 3 | 10 | 17 | 24 |
|---|---|---|---|---|---|
| T | · | 4 | 11 | 18 | 25 |
| W | · | 5 | 12 | 19 | 26 |
| T | · | 6 | 13 | 20 | 27 |
| F | · | 7 | 14 | 21 | 28 |
| S | 1 | 8 | 15 | 22 | 29 |
| S | 2 | 9 | 16 | 23 | 30 |

## NOVEMBER

| M | · | 7 | 14 | 21 | 28 |
|---|---|---|---|---|---|
| T | 1 | 8 | 15 | 22 | 29 |
| W | 2 | 9 | 16 | 23 | 30 |
| T | 3 | 10 | 17 | 24 | · |
| F | 4 | 11 | 18 | 25 | · |
| S | 5 | 12 | 19 | 26 | · |
| S | 6 | 13 | 20 | 27 | · |

## DECEMBER

| M | · | 5 | 12 | 19 | 26 |
|---|---|---|---|---|---|
| T | · | 6 | 13 | 20 | 27 |
| W | · | 7 | 14 | 21 | 28 |
| T | 1 | 8 | 15 | 22 | 29 |
| F | 2 | 9 | 16 | 23 | 30 |
| S | 3 | 10 | 17 | 24 | 31 |
| S | 4 | 11 | 18 | 25 | · |

# 2023 CALENDAR

## JANUARY

| M | 30 | 2 | 9 | 16 | 23 |
|---|---|---|---|---|---|
| T | 31 | 3 | 10 | 17 | 24 |
| W | • | 4 | 11 | 18 | 25 |
| T | • | 5 | 12 | 19 | 26 |
| F | • | 6 | 13 | 20 | 27 |
| S | • | 7 | 14 | 21 | 28 |
| S | 1 | 8 | 15 | 22 | 29 |

## FEBRUARY

| M | • | 6 | 13 | 20 | 27 |
|---|---|---|---|---|---|
| T | • | 7 | 14 | 21 | 28 |
| W | 1 | 8 | 15 | 22 | • |
| T | 2 | 9 | 16 | 23 | • |
| F | 3 | 10 | 17 | 24 | • |
| S | 4 | 11 | 18 | 25 | • |
| S | 5 | 12 | 19 | 26 | • |

## MARCH

| M | • | 6 | 13 | 20 | 27 |
|---|---|---|---|---|---|
| T | • | 7 | 14 | 21 | 28 |
| W | 1 | 8 | 15 | 22 | 29 |
| T | 2 | 9 | 16 | 23 | 30 |
| F | 3 | 10 | 17 | 24 | 31 |
| S | 4 | 11 | 18 | 25 | • |
| S | 5 | 12 | 19 | 26 | • |

## APRIL

| M | • | 3 | 10 | 17 | 24 |
|---|---|---|---|---|---|
| T | • | 4 | 11 | 18 | 25 |
| W | • | 5 | 12 | 19 | 26 |
| T | • | 6 | 13 | 20 | 27 |
| F | • | 7 | 14 | 21 | 28 |
| S | 1 | 8 | 15 | 22 | 29 |
| S | 2 | 9 | 16 | 23 | 30 |

## MAY

| M | 1 | 8 | 15 | 22 | 29 |
|---|---|---|---|---|---|
| T | 2 | 9 | 16 | 23 | 30 |
| W | 3 | 10 | 17 | 24 | 31 |
| T | 4 | 11 | 18 | 25 | • |
| F | 5 | 12 | 19 | 26 | • |
| S | 6 | 13 | 20 | 27 | • |
| S | 7 | 14 | 21 | 28 | • |

## JUNE

| M | • | 5 | 12 | 19 | 26 |
|---|---|---|---|---|---|
| T | • | 6 | 13 | 20 | 27 |
| W | • | 7 | 14 | 21 | 28 |
| T | 1 | 8 | 15 | 22 | 29 |
| F | 2 | 9 | 16 | 23 | 30 |
| S | 3 | 10 | 17 | 24 | • |
| S | 4 | 11 | 18 | 25 | • |

## JULY

| M | 31 | 3 | 10 | 17 | 24 |
|---|---|---|---|---|---|
| T | • | 4 | 11 | 18 | 25 |
| W | • | 5 | 12 | 19 | 26 |
| T | • | 6 | 13 | 20 | 27 |
| F | • | 7 | 14 | 21 | 28 |
| S | 1 | 8 | 15 | 22 | 29 |
| S | 2 | 9 | 16 | 23 | 30 |

## AUGUST

| M | • | 7 | 14 | 21 | 28 |
|---|---|---|---|---|---|
| T | 1 | 8 | 15 | 22 | 29 |
| W | 2 | 9 | 16 | 23 | 30 |
| T | 3 | 10 | 17 | 24 | 31 |
| F | 4 | 11 | 18 | 25 | • |
| S | 5 | 12 | 19 | 26 | • |
| S | 6 | 13 | 20 | 27 | • |

## SEPTEMBER

| M | • | 4 | 11 | 18 | 25 |
|---|---|---|---|---|---|
| T | • | 5 | 12 | 19 | 26 |
| W | • | 6 | 13 | 20 | 27 |
| T | • | 7 | 14 | 21 | 28 |
| F | 1 | 8 | 15 | 22 | 29 |
| S | 2 | 9 | 16 | 23 | 30 |
| S | 3 | 10 | 17 | 24 | • |

## OCTOBER

| M | 30 | 2 | 9 | 16 | 23 |
|---|---|---|---|---|---|
| T | 31 | 3 | 10 | 17 | 24 |
| W | • | 4 | 11 | 18 | 25 |
| T | • | 5 | 12 | 19 | 26 |
| F | • | 6 | 13 | 20 | 27 |
| S | • | 7 | 14 | 21 | 28 |
| S | 1 | 8 | 15 | 22 | 29 |

## NOVEMBER

| M | • | 6 | 13 | 20 | 27 |
|---|---|---|---|---|---|
| T | • | 7 | 14 | 21 | 28 |
| W | 1 | 8 | 15 | 22 | 29 |
| T | 2 | 9 | 16 | 23 | 30 |
| F | 3 | 10 | 17 | 24 | • |
| S | 4 | 11 | 18 | 25 | • |
| S | 5 | 12 | 19 | 26 | • |

## DECEMBER

| M | • | 4 | 11 | 18 | 25 |
|---|---|---|---|---|---|
| T | • | 5 | 12 | 19 | 26 |
| W | • | 6 | 13 | 20 | 27 |
| T | • | 7 | 14 | 21 | 28 |
| F | 1 | 8 | 15 | 22 | 29 |
| S | 2 | 9 | 16 | 23 | 30 |
| S | 3 | 10 | 17 | 24 | 31 |

# SUNRISE & SUNSET TIMES 2022

| | Sunrise | Sunset | | | Sunrise | Sunset |
|---|---|---|---|---|---|---|
| **December 2021** | | | | **July** | | |
| 6 | 07 51 | 15 53 | | 4 | 04 50 | 21 20 |
| 13 | 07 58 | 15 52 | | 11 | 04 57 | 21 15 |
| 20 | 08 03 | 15 53 | | 18 | 05 05 | 21 08 |
| 27 | 08 06 | 15 58 | | 25 | 05 14 | 20 59 |
| **January 2022** | | | | **August** | | |
| 3 | 08 06 | 16 05 | | 1 | 05 24 | 20 49 |
| 10 | 08 03 | 16 14 | | 8 | 05 35 | 20 37 |
| 17 | 07 58 | 16 24 | | 15 | 05 46 | 20 23 |
| 24 | 07 50 | 16 36 | | 22 | 05 57 | 20 09 |
| 31 | 07 41 | 16 48 | | 29 | 06 08 | 19 54 |
| **February** | | | | **September** | | |
| 7 | 07 29 | 17 01 | | 5 | 06 19 | 19 38 |
| 14 | 07 17 | 17 14 | | 12 | 06 31 | 19 22 |
| 21 | 07 03 | 17 26 | | 19 | 06 42 | 19 06 |
| 28 | 06 48 | 17 39 | | 26 | 06 53 | 18 50 |
| **March** | | | | **October** | | |
| 7 | 06 33 | 17 51 | | 3 | 07 04 | 18 34 |
| 14 | 06 17 | 18 03 | | 10 | 07 16 | 18 18 |
| 21 | 06 01 | 18 15 | | 17 | 07 28 | 18 03 |
| 28 | 06 45 | 19 27 | | 24 | 07 40 | 17 49 |
| | | | | 31 | 06 52 | 16 36 |
| **April** | | | | **November** | | |
| 4 | 06 30 | 19 39 | | 7 | 07 05 | 16 23 |
| 11 | 06 14 | 19 51 | | 14 | 07 17 | 16 13 |
| 18 | 05 59 | 20 02 | | 21 | 07 29 | 16 04 |
| 25 | 05 44 | 20 14 | | 28 | 07 39 | 15 57 |
| **May** | | | | **December** | | |
| 2 | 05 31 | 20 25 | | 5 | 07 49 | 15 53 |
| 9 | 05 19 | 20 37 | | 12 | 07 57 | 15 51 |
| 16 | 05 08 | 20 47 | | 19 | 08 03 | 15 53 |
| 23 | 04 58 | 20 57 | | 26 | 08 06 | 15 57 |
| 30 | 04 51 | 21 06 | | | | |
| **June** | | | | **January 2023** | | |
| 6 | 04 46 | 21 13 | | 2 | 08 06 | 16 03 |
| 13 | 04 43 | 21 19 | | 9 | 08 04 | 16 12 |
| 20 | 04 43 | 21 21 | | 16 | 07 59 | 16 22 |
| 27 | 04 45 | 21 22 | | 23 | 07 52 | 16 34 |
| | | | | 30 | 07 42 | 16 46 |

# 2022 PLANNER

| JANUARY | FEBRUARY | MARCH |
|---|---|---|
| 1 **S** | 1 T | 1 T |
| 2 **S** | 2 W | 2 W |
| 3 M | 3 T | 3 T |
| 4 T | 4 F | 4 F |
| 5 W | 5 **S** | 5 **S** |
| 6 T | 6 **S** | 6 **S** |
| 7 F | 7 M | 7 M |
| 8 **S** | 8 T | 8 T |
| 9 **S** | 9 W | 9 W |
| 10 M | 10 T | 10 T |
| 11 T | 11 F | 11 F |
| 12 W | 12 **S** | 12 **S** |
| 13 T | 13 **S** | 13 **S** |
| 14 F | 14 M | 14 M |
| 15 **S** | 15 T | 15 T |
| 16 **S** | 16 W | 16 W |
| 17 M | 17 T | 17 T |
| 18 T | 18 F | 18 F |
| 19 W | 19 **S** | 19 **S** |
| 20 T | 20 **S** | 20 **S** |
| 21 F | 21 M | 21 M |
| 22 **S** | 22 T | 22 T |
| 23 **S** | 23 W | 23 W |
| 24 M | 24 T | 24 T |
| 25 T | 25 F | 25 F |
| 26 W | 26 **S** | 26 **S** |
| 27 T | 27 **S** | 27 **S** |
| 28 F | 28 M | 28 M |
| 29 **S** | | 29 T |
| 30 **S** | | 30 W |
| 31 M | | 31 T |

# 2022 PLANNER

| APRIL | MAY | JUNE |
|-------|-----|------|
| 1 F | 1 **S** | 1 W |
| 2 **S** | 2 M | 2 T |
| 3 **S** | 3 T | 3 F |
| 4 M | 4 W | 4 **S** |
| 5 T | 5 T | 5 **S** |
| 6 W | 6 F | 6 M |
| 7 T | 7 **S** | 7 T |
| 8 F | 8 **S** | 8 W |
| 9 **S** | 9 M | 9 T |
| 10 **S** | 10 T | 10 F |
| 11 M | 11 W | 11 **S** |
| 12 T | 12 T | 12 **S** |
| 13 W | 13 F | 13 M |
| 14 T | 14 **S** | 14 T |
| 15 F | 15 **S** | 15 W |
| 16 **S** | 16 M | 16 T |
| 17 **S** | 17 T | 17 F |
| 18 M | 18 W | 18 **S** |
| 19 T | 19 T | 19 **S** |
| 20 W | 20 F | 20 M |
| 21 T | 21 **S** | 21 T |
| 22 F | 22 **S** | 22 W |
| 23 **S** | 23 M | 23 T |
| 24 **S** | 24 T | 24 F |
| 25 M | 25 W | 25 **S** |
| 26 T | 26 T | 26 **S** |
| 27 W | 27 F | 27 M |
| 28 T | 28 **S** | 28 T |
| 29 F | 29 **S** | 29 W |
| 30 **S** | 30 M | 30 T |
| | 31 T | |

# 2022 PLANNER

| JULY | AUGUST | SEPTEMBER |
|---|---|---|
| 1 F | 1 M | 1 T |
| 2 **S** | 2 T | 2 F |
| 3 **S** | 3 W | 3 **S** |
| 4 M | 4 T | 4 **S** |
| 5 T | 5 F | 5 M |
| 6 W | 6 **S** | 6 T |
| 7 T | 7 **S** | 7 W |
| 8 F | 8 M | 8 T |
| 9 **S** | 9 T | 9 F |
| 10 **S** | 10 W | 10 **S** |
| 11 M | 11 T | 11 **S** |
| 12 T | 12 F | 12 M |
| 13 W | 13 **S** | 13 T |
| 14 T | 14 **S** | 14 W |
| 15 F | 15 M | 15 T |
| 16 **S** | 16 T | 16 F |
| 17 **S** | 17 W | 17 **S** |
| 18 M | 18 T | 18 **S** |
| 19 T | 19 F | 19 M |
| 20 W | 20 **S** | 20 T |
| 21 T | 21 **S** | 21 W |
| 22 F | 22 M | 22 T |
| 23 **S** | 23 T | 23 F |
| 24 **S** | 24 W | 24 **S** |
| 25 M | 25 T | 25 **S** |
| 26 T | 26 F | 26 M |
| 27 W | 27 **S** | 27 T |
| 28 T | 28 **S** | 28 W |
| 29 F | 29 M | 29 T |
| 30 **S** | 30 T | 30 F |
| 31 **S** | 31 W | |

| OCTOBER | NOVEMBER | DECEMBER |
|---|---|---|
| 1 S | 1 T | 1 T |
| 2 S | 2 W | 2 F |
| 3 M | 3 T | 3 S |
| 4 T | 4 F | 4 S |
| 5 W | 5 S | 5 M |
| 6 T | 6 S | 6 T |
| 7 F | 7 M | 7 W |
| 8 S | 8 T | 8 T |
| 9 S | 9 W | 9 F |
| 10 M | 10 T | 10 S |
| 11 T | 11 F | 11 S |
| 12 W | 12 S | 12 M |
| 13 T | 13 S | 13 T |
| 14 F | 14 M | 14 W |
| 15 S | 15 T | 15 T |
| 16 S | 16 W | 16 F |
| 17 M | 17 T | 17 S |
| 18 T | 18 F | 18 S |
| 19 W | 19 S | 19 M |
| 20 T | 20 S | 20 T |
| 21 F | 21 M | 21 W |
| 22 S | 22 T | 22 T |
| 23 S | 23 W | 23 F |
| 24 M | 24 T | 24 S |
| 25 T | 25 F | 25 S |
| 26 W | 26 S | 26 M |
| 27 T | 27 S | 27 T |
| 28 F | 28 M | 28 W |
| 29 S | 29 T | 29 T |
| 30 S | 30 W | 30 F |
| 31 M | | 31 S |

# DEC '21 / JAN '22

**MON**

## 27

Holiday (UK, R. of Ireland, CAN, AUS, NZL)

**TUE**

## 28

Holiday (UK, R. of Ireland, AUS, NZL)

**WED**

## 29

**THU**

## 30

**FRI**

## 31

New Year's Eve
Holiday (USA)

**SAT**

## 1

New Year's Day

**SUN**

## 2

# WALRUS

## OVERVIEW

 **STATUS**
Vulnerable

 **POPULATION**
225,000

 **SCIENTIFIC NAME**
*Odobenus rosmarus*

 **WEIGHT**
Up to 1,500kg

 **LENGTH**
2.5–3.6m

 **HABITATS**
Ocean

- Some male walruses can weigh as much as a small car.

- They live in large herds, usually segregated by sex.

- Usually, the longer the tusks, the more dominant the male.

**WWF**

# NOTES

# GOALS & REMINDERS

# JANUARY

**MON**

# 3

Holiday (UK, R. of Ireland, CAN, AUS, NZL)

**TUE**

# 4

Holiday (SCT, NZL)

**WED**

# 5

**THU**

# 6

**FRI**

# 7

**SAT**

# 8

◑

**SUN**

# 9

# JANUARY

**MON**

10

**TUE**

11

**WED**

12

**THU**

13

**FRI**

14

**SAT**

15

**SUN**

16

# JANUARY

○

**MON**

## 17

Martin Luther King, Jr. Day (Holiday USA)

**TUE**

## 18

**WED**

## 19

**THU**

## 20

**FRI**

## 21

**SAT**

## 22

**SUN**

## 23

# JANUARY

**MON**

## 24

**TUE** ◑

## 25

Burns Night (SCT)

**WED**

## 26

Australia Day (Holiday AUS)

**THU**

## 27

**FRI**

## 28

**SAT**

## 29

**SUN**

## 30

# GALAPAGOS PENGUIN

## OVERVIEW

 **STATUS**
Endangered

 **POPULATION**
1,200

 **SCIENTIFIC NAME**
*Spheniscus mendiculus*

 **WEIGHT**
2.5kg

 **LENGTH**
49cm

 **HABITATS**
Coastal

- Galapagos penguins are the only penguin species north of the equator.

- They keep cool by using special currents that bring colder water up from the depths.

- They protect their eggs and young from the sun by putting them in burrows.

**WWF**

# NOTES

# GOALS & REMINDERS

# JAN / FEB

**MON**

31

● 

**TUE**

1

**WED**

2

**THU**

3

**FRI**

4

**SAT**

5

**SUN**

6

Waitangi Day (NZL)

# FEBRUARY

**MON**

7

Holiday (NZL)

**TUE** ◑

8

**WED**

9

**THU**

10

**FRI**

11

**SAT**

12

**SUN**

13

# FEBRUARY

**MON**
## 14

St Valentine's Day

**TUE**
## 15

○

**WED**
## 16

**THU**
## 17

**FRI**
## 18

**SAT**
## 19

**SUN**
## 20

# FEBRUARY

**MON**

21

Presidents' Day (Holiday USA)

**TUE**

22

**WED**                                                    ◑

23

**THU**

24

**FRI**

25

**SAT**

26

**SUN**

27

© Philip Mugridge / Alamy

# MOUNTAIN GORILLA

## OVERVIEW

 **STATUS**
EN Endangered

 **POPULATION**
1,063

 **SCIENTIFIC NAME**
Aa *Gorilla beringei beringei*

 **WEIGHT**
Kg 90–180kg

 **LENGTH**
150–170cm

 **HABITATS**
Mountain forests

* Each gorilla can be distinguished by their nose, which has a unique pattern.

* They sometimes drink rain by extending their lower lip to catch it when it falls.

* Though excellent climbers, only 3% of mountain gorillas' daily activity takes place in trees.

 WWF

# NOTES

## GOALS & REMINDERS

# FEB / MAR

**MON**

## 28

**TUE**

## 1

St David's Day
Shrove Tuesday

● **WED**

## 2

Ash Wednesday

**THU**

## 3

**FRI**

## 4

**SAT**

## 5

**SUN**

## 6

# MARCH

**MON**

7

**TUE**

8

**WED**

9

**THU**  ◐

10

**FRI**

11

**SAT**

12

**SUN**

13

Daylight Saving Time begins (USA, CAN)

# MARCH

**MON**

## 14

Commonwealth Day

**TUE**

## 15

**WED**

## 16

**THU**

## 17

St Patrick's Day (Holiday N. Ireland, R. of Ireland)

○

**FRI**

## 18

**SAT**

## 19

**SUN**

## 20

# MARCH

**MON**

21

**TUE**

22

**WED**

23

**THU**

24

**FRI**                                                                              ◑

25

**SAT**

26

**SUN**

27

Mothering Sunday (UK, R. of Ireland)
Summer Time begins*

# HYACINTH MACAW

## OVERVIEW

 **STATUS**
Vulnerable

 **POPULATION**
4,300

 **SCIENTIFIC NAME**
*Anodorhynchus hyacinthinus*

 **WEIGHT**
1.5kg

 **LENGTH**
1m

 **HABITATS**
Palm swamps and woodland

- Hyacinth macaws have displayed tool use.

- They are know as 'gentle giants' due to their calm temperament.

- They can be found in the wild in three countries in South America.

WWF

PE4

(AO)

(At)

# MAR / APR

**MON**
28

**TUE**
29

**WED**
30

**THU**
31

● **FRI**
1

**SAT**
2

**SUN**
3

Daylight Saving Time ends (NZL, AUS – except NT, QLD, WA)
First Day of Ramadan

# APRIL

**MON**

4

**TUE**

5

**WED**

6

**THU**

7

**FRI**

8

**SAT**

9

**SUN**

10

**MON**

11

**TUE**

12

**WED**

13

**THU**

14

**FRI**

15

Good Friday (Holiday UK, CAN, AUS, NZL)

○

**SAT**

16

First Day of Passover (Pesach)

**SUN**

17

Easter Sunday

# APRIL

**MON**

## 18

Easter Monday (Holiday UK except SCT, R. of Ireland, CAN, AUS, NZL)

**TUE**

## 19

**WED**

## 20

**THU**

## 21

**FRI**

## 22

Earth Day

**SAT**

## 23 ◑

St George's Day

**SUN**

## 24

# GREAT WHITE SHARK

## OVERVIEW

 **STATUS**
Vulnerable

 **POPULATION**
Unknown

 **SCIENTIFIC NAME**
*Carcharodon carcharias*

 **WEIGHT**
up to 2,268kg

 **LENGTH**
3.6m

 **HABITATS**
Ocean

- Females are larger than males and can grow up to 6m in length.

- A great white can live for 70 years or more.

- They are so sensitive they can detect electromagnetic variations of one millionth of a volt.

# NOTES

# GOALS & REMINDERS

# APR / MAY

**MON**

## 25

Anzac Day (Holiday AUS, NZL)

**TUE**

## 26

**WED**

## 27

**THU**

## 28

**FRI**

## 29

● **SAT**

## 30

**SUN**

## 1

# MAY

**MON**

2

Holiday (UK, R. of Ireland)

**TUE**

3

**WED**

4

**THU**

5

**FRI**

6

**SAT**

7

**SUN**

8

Mother's Day (USA, CAN, AUS, NZL)

# MAY

◑ **MON**

## 9

**TUE**

## 10

**WED**

## 11

**THU**

## 12

**FRI**

## 13

**SAT**

## 14

**SUN**

## 15

# MAY

**MON**
## 16
○

**TUE**
## 17

**WED**
## 18

**THU**
## 19

**FRI**
## 20

**SAT**
## 21

**SUN**
## 22
◑

# MAY

**MON**

## 23

Victoria Day (Holiday CAN)

**TUE**

## 24

**WED**

## 25

**THU**

## 26

**FRI**

## 27

**SAT**

## 28

**SUN**

## 29

# MAY / JUN

**MON**

## 30

Memorial Day (Holiday USA)

**TUE**

## 31

**WED**

## 1

**THU**

## 2

Holiday (UK)

**FRI**

## 3

The Queen's Platinum Jubilee (Holiday UK)

**SAT**

## 4

**SUN**

## 5

# PANGOLIN
## OVERVIEW

 **STATUS**
Vulnerable-critically endangered

 **POPULATION**
Unknown

 **SCIENTIFIC NAME**
*Various*

 **WEIGHT**
1–35kg

 **LENGTH**
0.8–1.8m

 **HABITATS**
Forest

- Pangolins can emit a noxious-smelling chemical like a skunk.

- They use their strong claws to tear into termite mounds.

- They live solitary lives, only meeting to mate.

**WWF**

# NOTES

# GOALS & REMINDERS

# JUNE

---

**MON**

## 6

Holiday (R. of Ireland)
Queen's Birthday (Holiday NZL)

---

◑ **TUE**

## 7

---

**WED**

## 8

---

**THU**

## 9

---

**FRI**

## 10

---

**SAT**

## 11

---

**SUN**

## 12

---

# JUNE

**MON**

13

**TUE**                                                                    ○

14

**WED**

15

**THU**

16

**FRI**

17

**SAT**

18

**SUN**

19

Father's Day (UK, R. of Ireland, USA, CAN)

# JUNE

**MON**

## 20

**TUE**

## 21

**WED**

## 22

**THU**

## 23

**FRI**

## 24

**SAT**

## 25

**SUN**

## 26

# JUN / JUL

**MON**

27

**TUE**

28

**WED**                                                                            ●

29

**THU**

30

**FRI**

1

Canada Day (Holiday CAN)

**SAT**

2

**SUN**

3

© Gerard Soury / Getty Images

# ATLANTIC BLUEFIN TUNA

## OVERVIEW

 **STATUS**
EN Endangered

 **POPULATION**
Unknown

 **SCIENTIFIC NAME**
Aa *Thunnus thynnus*

 **WEIGHT**
Kg up to 650kg

 **LENGTH**
2-3m

 **HABITATS**
Ocean

- Tuna are larger than African lions and can reach more than double their weight.

- Atlantic bluefin tuna can swim at nearly 40kph and dive to 1,000 metres.

- The Atlantic bluefin tuna is a highly sought-after delicacy for sushi and sashimi in Asia.

**WWF**

# NOTES

# GOALS & REMINDERS

# JULY

**MON**

4

Independence Day (Holiday USA)

**TUE**

5

**WED**

6

◐ **THU**

7

**FRI**

8

**SAT**

9

**SUN**

10

# JULY

**MON**

11

**TUE**

12

Battle of the Boyne (Holiday N. Ireland)

**WED**                                                                    ○

13

**THU**

14

**FRI**

15

**SAT**

16

**SUN**

17

**MON**

## 18

**TUE**

## 19

◑ **WED**

## 20

**THU**

## 21

**FRI**

## 22

**SAT**

## 23

**SUN**

## 24

# JULY

**MON**

## 25

**TUE**

## 26

**WED**

## 27

**THU**

## 28

●

**FRI**

## 29

**SAT**

## 30

**SUN**

## 31

# AFRICAN LION

## OVERVIEW

 **STATUS**
Vulnerable

 **POPULATION**
23,000

 **SCIENTIFIC NAME**
*Panthera leo*

 **WEIGHT**
126–190kg

 **LENGTH**
Up to 3.5m

 **HABITATS**
Grasslands and savannahs

- Lions used to be found in Europe, but they became extinct there almost 2,000 years ago.

- A lion's roar can be heard from as far as 5 miles away and prides often roar together to mark their territory.

- Lions hunt more during storms as the noise and wind make it harder for prey to see and hear them.

**WWF**

# NOTES

# GOALS & REMINDERS

# AUGUST

**MON**

1

Holiday (SCT, R. of Ireland)

**TUE**

2

**WED**

3

**THU**

4

◑ **FRI**

5

**SAT**

6

**SUN**

7

# AUGUST

**MON**

8

**TUE**

9

**WED**

10

**THU**

11

**FRI**                                                                    ○

12

**SAT**

13

**SUN**

14

# AUGUST

**MON**

15

**TUE**

16

**WED**

17

**THU**

18

◗ **FRI**

19

**SAT**

20

**SUN**

21

# AUGUST

**MON**
## 22

**TUE**
## 23

**WED**
## 24

**THU**
## 25

**FRI**
## 26

**SAT** ●
## 27

**SUN**
## 28

# BLACK-BROWED ALBATROSS

## OVERVIEW

 **STATUS**
Least Concern

 **POPULATION**
1,400,000

 **SCIENTIFIC NAME**
*Thalassarche melanophris*

 **WEIGHT**
3–5kg

 **LENGTH**
83–93cm (240cm wingspan)

 **HABITATS**
Ocean

- This bird can have a natural lifespan of over 70 years.

- Black-browed albatrosses bray and cackle to mark their territory.

- Once they have found a mate, they pair for life.

WWF

# NOTES

# GOALS & REMINDERS

# AUG / SEP

**MON**

## 29

Holiday (UK except SCT)

**TUE**

## 30

**WED**

## 31

**THU**

## 1

**FRI**

## 2

◐

**SAT**

## 3

**SUN**

## 4

Father's Day (AUS, NZL)

# SEPTEMBER

**MON**

5

Labor Day (Holiday USA)
Labour Day (Holiday CAN)

**TUE**

6

**WED**

7

**THU**

8

**FRI**

9

**SAT**                                                             ○

10

**SUN**

11

# SEPTEMBER

**MON**

12

**TUE**

13

**WED**

14

**THU**

15

**FRI**

16

**SAT**

17

**SUN**

18

# SEPTEMBER

**MON**

19

**TUE**

20

**WED**

21

UN International Day of Peace

**THU**

22

**FRI**

23

**SAT**

24

**SUN**

●

25

Daylight Saving Time begins (NZL)

# AFRICAN SAVANNA ELEPHANT

## OVERVIEW

 **STATUS**
Endangered

 **POPULATION**
415,000

 **SCIENTIFIC NAME**
*Loxodonta africana*

 **WEIGHT**
6 tonnes

 **LENGTH**
3m (height)

 **HABITATS**
Sub-Sahara

- Their ears are described as being shaped like the African continent.

- The average weight of one African savanna elephant tusk is 3.7kg.

- Home ranges in Africa can vary widely from less than 50km² to over 30,000km².

WWF

# NOTES

# GOALS & REMINDERS

# SEP / OCT

**MON**
## 26

**TUE**
## 27

**WED**
## 28

**THU**
## 29

**FRI**
## 30

**SAT**
## 1

**SUN**
## 2

Daylight Saving Time begins (AUS – except NT, QLD, WA)

# OCTOBER

**MON** ◐

3

**TUE**

4

World Animal Day

**WED**

5

**THU**

6

**FRI**

7

**SAT**

8

**SUN** ○

9

# OCTOBER

**MON**

## 10

Columbus Day (Holiday USA)
Thanksgiving Day (Holiday CAN)

**TUE**

## 11

**WED**

## 12

**THU**

## 13

**FRI**

## 14

**SAT**

## 15

**SUN**

## 16

# OCTOBER

**MON**

17

**TUE**

18

**WED**

19

**THU**

20

**FRI**

21

**SAT**

22

**SUN**

23

# OCTOBER

**MON**

## 24

Labour Day (Holiday NZL)

●

**TUE**

## 25

**WED**

## 26

**THU**

## 27

**FRI**

## 28

**SAT**

## 29

**SUN**

## 30

Summer Time ends*

# OCT / NOV

**MON**

## 31

Hallowe'en
Holiday (R. of Ireland)

**TUE**

## 1

◐

**WED**

## 2

**THU**

## 3

**FRI**

## 4

**SAT**

## 5

Bonfire Night

**SUN**

## 6

Daylight Saving Time ends (USA, CAN)

# SOUTHERN SEA LION

## OVERVIEW

 **STATUS**
Least concern

 **POPULATION**
222,500

 **SCIENTIFIC NAME**
*Otaria flavescens*

 **WEIGHT**
150–300kg

 **LENGTH**
1.8–2.6m

 **HABITATS**
Coastal

- Southern sea lions are found along the coast of South America.

- They congregate in smaller, more spaced-out groups than other sea lion species.

- Males have a short patch of fur around their heads, like a mane.

**WWF**

# NOTES

# GOALS & REMINDERS

# NOVEMBER

**MON**

7

○

**TUE**

8

**WED**

9

**THU**

10

**FRI**

11

Veterans Day (Holiday USA)
Remembrance Day (Holiday CAN)

**SAT**

12

**SUN**

13

Remembrance Sunday (UK)

# NOVEMBER

**MON**
14

**TUE**
15

**WED**                                    ◑
16

**THU**
17

**FRI**
18

**SAT**
19

**SUN**
20

# NOVEMBER

**MON**
21

**TUE**
22

● **WED**
23

**THU**
24

Thanksgiving Day (Holiday USA)

**FRI**
25

**SAT**
26

**SUN**
27

# NOV / DEC

**MON**

28

**TUE**

29

**WED** ◑

30

St Andrew's Day (Holiday SCT)

**THU**

1

**FRI**

2

**SAT**

3

**SUN**

4

# POLAR BEAR

## OVERVIEW

 **STATUS**
Vulnerable

 **POPULATION**
22,000–31,000

 **SCIENTIFIC NAME**
*Ursus maritimus*

 **WEIGHT**
450–800kg

 **LENGTH**
2.1–2.5m

 **HABITATS**
Sea ice

- Polar bears' skin is black – but only their black nose is visible.

- They can smell seals in their snow dens from 100 metres away.

- They make use of the direction of the wind to conceal their scent from prey.

**WWF**

# NOTES

# GOALS & REMINDERS

# DECEMBER

**MON**

5

**TUE**

6

**WED**

7

○ **THU**

8

**FRI**

9

**SAT**

10

**SUN**

11

# DECEMBER

**MON**

12

**TUE**

13

**WED**

14

**THU**

15

**FRI**

16

**SAT**

17

**SUN**

18

# DECEMBER

**MON**
19

ABCD

**TUE**
20

E

**WED**
21

**THU**
22

● **FRI**
23

**SAT**
24

Christmas Eve

**SUN**
25

Christmas Day

# DEC '22 / JAN '23

**MON**

## 26

Boxing Day, St Stephen's Day
(Holiday UK, R. of Ireland, CAN, AUS, NZL)
Holiday (USA)

**TUE**

## 27

Holiday (UK, R. of Ireland, CAN, AUS, NZL)

**WED**

## 28

**THU**

## 29

**FRI**

## 30

◗

**SAT**

## 31

New Year's Eve

**SUN**

## 1

New Year's Day

# JANUARY '23

**MON**

2

Holiday (UK, R. of Ireland, USA, CAN, AUS, NZL)

**TUE**

3

Holiday (SCT, NZL)

**WED**

4

**THU**

5

○                                             **FRI**

6

**SAT**

7

**SUN**

8

# 2023 PLANNER

| JANUARY | FEBRUARY | MARCH |
|---|---|---|
| 1 **S** | 1 W | 1 W |
| 2 M | 2 T | 2 T |
| 3 T | 3 F | 3 F |
| 4 W | 4 **S** | 4 **S** |
| 5 T | 5 **S** | 5 **S** |
| 6 F | 6 M | 6 M |
| 7 **S** | 7 T | 7 T |
| 8 **S** | 8 W | 8 W |
| 9 M | 9 T | 9 T |
| 10 T | 10 F | 10 F |
| 11 W | 11 **S** | 11 **S** |
| 12 T | 12 **S** | 12 **S** |
| 13 F | 13 M | 13 M |
| 14 **S** | 14 T | 14 T |
| 15 **S** | 15 W | 15 W |
| 16 M | 16 T | 16 T |
| 17 T | 17 F | 17 F |
| 18 W | 18 **S** | 18 **S** |
| 19 T | 19 **S** | 19 **S** |
| 20 F | 20 M | 20 M |
| 21 **S** | 21 T | 21 T |
| 22 **S** | 22 W | 22 W |
| 23 M | 23 T | 23 T |
| 24 T | 24 F | 24 F |
| 25 W | 25 **S** | 25 **S** |
| 26 T | 26 **S** | 26 **S** |
| 27 F | 27 M | 27 M |
| 28 **S** | 28 T | 28 T |
| 29 **S** | | 29 W |
| 30 M | | 30 T |
| 31 T | | 31 F |

| APRIL | MAY | JUNE |
|---|---|---|
| 1 **S** | 1 M | 1 T |
| 2 **S** | 2 T | 2 F |
| 3 M | 3 W | 3 **S** |
| 4 T | 4 T | 4 **S** |
| 5 W | 5 F | 5 M |
| 6 T | 6 **S** | 6 T |
| 7 F | 7 **S** | 7 W |
| 8 **S** | 8 M | 8 T |
| 9 **S** | 9 T | 9 F |
| 10 M | 10 W | 10 **S** |
| 11 T | 11 T | 11 **S** |
| 12 W | 12 F | 12 M |
| 13 T | 13 **S** | 13 T |
| 14 F | 14 **S** | 14 W |
| 15 **S** | 15 M | 15 T |
| 16 **S** | 16 T | 16 F |
| 17 M | 17 W | 17 **S** |
| 18 T | 18 T | 18 **S** |
| 19 W | 19 F | 19 M |
| 20 T | 20 **S** | 20 T |
| 21 F | 21 **S** | 21 W |
| 22 **S** | 22 M | 22 T |
| 23 **S** | 23 T | 23 F |
| 24 M | 24 W | 24 **S** |
| 25 T | 25 T | 25 **S** |
| 26 W | 26 F | 26 M |
| 27 T | 27 **S** | 27 T |
| 28 F | 28 **S** | 28 W |
| 29 **S** | 29 M | 29 T |
| 30 **S** | 30 T | 30 F |
|  | 31 W |  |

# 2023 PLANNER

| JULY | AUGUST | SEPTEMBER |
|---|---|---|
| 1 **S** | 1 T | 1 F |
| 2 **S** | 2 W | 2 **S** |
| 3 M | 3 T | 3 **S** |
| 4 T | 4 F | 4 M |
| 5 W | 5 **S** | 5 T |
| 6 T | 6 **S** | 6 W |
| 7 F | 7 M | 7 T |
| 8 **S** | 8 T | 8 F |
| 9 **S** | 9 W | 9 **S** |
| 10 M | 10 T | 10 **S** |
| 11 T | 11 F | 11 M |
| 12 W | 12 **S** | 12 T |
| 13 T | 13 **S** | 13 W |
| 14 F | 14 M | 14 T |
| 15 **S** | 15 T | 15 F |
| 16 **S** | 16 W | 16 **S** |
| 17 M | 17 T | 17 **S** |
| 18 T | 18 F | 18 M |
| 19 W | 19 **S** | 19 T |
| 20 T | 20 **S** | 20 W |
| 21 F | 21 M | 21 T |
| 22 **S** | 22 T | 22 F |
| 23 **S** | 23 W | 23 **S** |
| 24 M | 24 T | 24 **S** |
| 25 T | 25 F | 25 M |
| 26 W | 26 **S** | 26 T |
| 27 T | 27 **S** | 27 W |
| 28 F | 28 M | 28 T |
| 29 **S** | 29 T | 29 F |
| 30 **S** | 30 W | 30 **S** |
| 31 M | 31 T | |

# 2023 PLANNER

| OCTOBER | NOVEMBER | DECEMBER |
|---------|----------|----------|
| 1 **S** | 1 W | 1 F |
| 2 M | 2 T | 2 **S** |
| 3 T | 3 F | 3 **S** |
| 4 W | 4 **S** | 4 M |
| 5 T | 5 **S** | 5 T |
| 6 F | 6 M | 6 W |
| 7 **S** | 7 T | 7 T |
| 8 **S** | 8 W | 8 F |
| 9 M | 9 T | 9 **S** |
| 10 T | 10 F | 10 **S** |
| 11 W | 11 **S** | 11 M |
| 12 T | 12 **S** | 12 T |
| 13 F | 13 M | 13 W |
| 14 **S** | 14 T | 14 T |
| 15 **S** | 15 W | 15 F |
| 16 M | 16 T | 16 **S** |
| 17 T | 17 F | 17 **S** |
| 18 W | 18 **S** | 18 M |
| 19 T | 19 **S** | 19 T |
| 20 F | 20 M | 20 W |
| 21 **S** | 21 T | 21 T |
| 22 **S** | 22 W | 22 F |
| 23 M | 23 T | 23 **S** |
| 24 T | 24 F | 24 **S** |
| 25 W | 25 **S** | 25 M |
| 26 T | 26 **S** | 26 T |
| 27 F | 27 M | 27 W |
| 28 **S** | 28 T | 28 T |
| 29 **S** | 29 W | 29 F |
| 30 M | 30 T | 30 **S** |
| 31 T | | 31 **S** |

# ADDRESSES & PHONE NUMBERS

Name

Address

Postcode

Telephone                         Mobile

E-mail

Name

Address

Postcode

Telephone                         Mobile

E-mail

Name

Address

Postcode

Telephone                         Mobile

E-mail

Name

Address

Postcode

Telephone                         Mobile

E-mail

Name

Address

Postcode

Telephone                         Mobile

E-mail

Name

Address

Postcode

Telephone                         Mobile

E-mail

# ADDRESSES & PHONE NUMBERS

Name

Address

Postcode

Telephone                          Mobile

E-mail

Name

Address

Postcode

Telephone                          Mobile

E-mail

Name

Address

Postcode

Telephone                          Mobile

E-mail

Name

Address

Postcode

Telephone                          Mobile

E-mail

Name

Address

Postcode

Telephone                          Mobile

E-mail

Name

Address

Postcode

Telephone                          Mobile

E-mail

# ADDRESSES & PHONE NUMBERS

Name

Address

Postcode

Telephone                          Mobile

E-mail

Name

Address

Postcode

Telephone                          Mobile

E-mail

Name

Address

Postcode

Telephone                          Mobile

E-mail

Name

Address

Postcode

Telephone                          Mobile

E-mail

Name

Address

Postcode

Telephone                          Mobile

E-mail

Name

Address

Postcode

Telephone                          Mobile

E-mail

# ADDRESSES & PHONE NUMBERS

Name

Address

Postcode

Telephone                          Mobile

E-mail

Name

Address

Postcode

Telephone                          Mobile

E-mail

Name

Address

Postcode

Telephone                          Mobile

E-mail

Name

Address

Postcode

Telephone                          Mobile

E-mail

Name

Address

Postcode

Telephone                          Mobile

E-mail

Name

Address

Postcode

Telephone                          Mobile

E-mail

# ADDRESSES & PHONE NUMBERS

Name

Address

Postcode

Telephone                    Mobile

E-mail

Name

Address

Postcode

Telephone                    Mobile

E-mail

Name

Address

Postcode

Telephone                    Mobile

E-mail

Name

Address

Postcode

Telephone                    Mobile

E-mail

Name

Address

Postcode

Telephone                    Mobile

E-mail

Name

Address

Postcode

Telephone                    Mobile

E-mail

# ADDRESSES & PHONE NUMBERS

Name

Address

Postcode

Telephone                          Mobile

E-mail

Name

Address

Postcode

Telephone                          Mobile

E-mail

Name

Address

Postcode

Telephone                          Mobile

E-mail

Name

Address

Postcode

Telephone                          Mobile

E-mail

Name

Address

Postcode

Telephone                          Mobile

E-mail

Name

Address

Postcode

Telephone                          Mobile

E-mail

# NOTES

# NOTES

# NOTES

# NOTES